D1247811

LE CHEMIN DES PASSES-DANGEREUSES

DU MÊME AUTEUR

La contre-nature de Chrysippe Tanguay, écologiste, Leméac, 1984
La poupée de Pélopia, Leméac, 1985
Rock pour un faux-bourbon, Leméac, 1987
Les feluettes ou La répétition d'un drame romantique, Leméac, 1987
Les muses orphelines, Leméac, 1989; nouvelle version, 1995; 2000
L'histoire de l'oie, Leméac, 1991
Les grandes chaleurs, Leméac, 1993
Le voyage du couronnement, Leméac, 1995; nouvelle version, 2000
Le chemin des passes-dangereuses, Leméac, 1998
Les papillons de nuit, Leméac, 1999
Sous le regard des mouches, Leméac, 2000
Les manuscrits du déluge, Leméac, 2003

MICHEL MARC BOUCHARD

LE CHEMIN DES PASSES-DANGEREUSES

tragédie routière

LEMÉAC

Photographie de la couverture : Sébastien Delorme (Carl) et Patrice Godin (Ambroise), © Pierre Desjardins.

Leméac Éditeur remercie le ministère du Patrimoine canadien, le Conseil des arts du Canada, la Société de développement des entreprises culturelles du Québec (SODEC) et le Programme de crédit d'impôt pour l'édition de livres du Québec (Gestion SODEC) du soutien accordé à son programme de publication.

ISBN-10 : 2-7609-0370-2
ISBN-13 : 978-2-7609-0370-8

4609, rue d'Iberville, 3e étage, Montréal (Québec) H2H 2L9
Dépôt légal — Bibliothèque et Archives nationales du Québec, 1998

Imprimé au Canada

CRÉATION ET DISTRIBUTION

Cette pièce a été créée le 20 février 1998 à la Compagnie Jean-Duceppe sous la direction artistique de Michel Dumont et la direction générale de Louise Duceppe, dans une mise en scène de Serge Denoncourt, assistée de Monique Duceppe, un décor de Louise Campeau, des costumes de François Barbeau, des éclairages de Michel Beaulieu, une musique de Michel Smith et des accessoires de Normand Blais.

CARL, le benjamin : Sébastien Delorme

AMBROISE, le deuxième : Patrice Godin

VICTOR, l'aîné : Normand D'Amour

Les rôles de trois adolescents
étaient joués par
Christian Brisson-Dargis,
François-Olivier Therrien
et Guillaume Turcotte

DÉCOR

Une route forestière surplombant une rivière.
Débris épars d'un camion accidenté.

•

C'est sous le titre de travail LES HYÈNES que l'écriture du *Chemin des passes-dangereuses* a débuté en 1995 alors que Michel Marc Bouchard était auteur en résidence au Théâtre du Nouveau-Monde grâce à un programme d'aide aux artistes du Conseil des arts et des lettres du Québec.

En décembre 1996, dans le cadre de la Semaine de la dramaturgie du Centre des auteurs dramatiques, la pièce a été lue publiquement au Théâtre d'Aujourd'hui par Sébastien Delorme, David La Haye et François Papineau sous la direction de l'auteur.

L'auteur tient à remercier chaleureusement Jacques Bélanger, Marie-Francine Deslandes, Louise Duceppe, Michel Dumont, Linda Gaboriau, Vincent Gœthals, Dominique Lafon, Diane Pavlovic, Lorraine Pintal ainsi que tous les artisans du *Chemin des passes-dangereuses* et plus particulièrement Serge Denoncourt.

POURQUOI ÉCRIRE *LE CHEMIN DES PASSES-DANGEREUSES*?

Nous nous protégeons.

Tout est en place pour nous protéger des autres et de nous-mêmes, et de la parole et du silence, et de la vie et de la mort.

Nous sommes en état de guerre avec la pensée. Nous nous dépouillons d'arguments, nous nous armons d'émotions. La parole est périlleuse.

Les intellectuels sont dangereux. Les philosophes sont ennuyeux. Les poètes sont préhistoriques.

Le mot est mort ! Vive l'image !

Alors ?

Se taire !

Tuer les vérités. Éroder les opinions. Désamorcer par une blague. S'isoler derrière l'anonymat d'un écran cathodique. Faire des affaires en silence et laisser ceux qui font des affaires avoir le contrôle de tout, même du silence.

Ne pas dire que les politiciens mentent, ne pas dire qu'on nous vole notre eau et qu'on rase nos forêts, ne pas dire que la question nationale est en otage, que les journalistes ne sont plus libres, que la prostitution doit être légalisée.... Ne rien dire.

Faire de notre existence un talk-show de sourires confortables et de sièges éjectables.

Pourquoi écrire une pièce triste ?

Pourquoi écrire la mort ?

Parce qu'il n'y a pas de pensée plus lucide que la pensée dépouillée des boucliers-mensonges de la vie ; la pensée de celui que la mort embrasse, de celui qui n'a plus rien à perdre mais une dernière chose à gagner : la franchise.

Pourquoi oser écrire ?

Pour oser vivre !

M. M. B.

À Jacques,
pour l'inspiration et les beaux jours.

À la mémoire de mon ami,
le grand costumier Jean-Yves Cadieux.
Tu me manques.

Son d'un camion qui dérape et qui fait de nombreux tonneaux.

AMBROISE. « De tous les biens que je possède,
peu de valeurs, rien à voler,

De tous les biens, de peu de biens,
des biens de peu...
De tous les biens que je possède,
peu d'honneurs, trois cœurs à aimer.

De tous les biens, de peu de biens,
des biens de peu...
De tous les biens que je possède,
peu de valeurs, rien à envier,

De tous les biens, de peu de biens,
des biens de peu...
De tous les biens que je possède,
Trois fils, les miens, oubliés. »

CARL, *apparaissant.* Des heures. J'ai marché des heures en ligne droite. Comment j'ai fait pour revenir à la même place ? Comment j'ai fait pour tourner en rond en marchant tout droit sur un chemin tout droit ?

AMBROISE. T'étais juste là devant moi. Douze ans.

CARL. C'est là, dans la courbe.

AMBROISE. T'avais douze ans.

CARL. Dans la courbe, c'est là que j'ai senti un déjà-vu.

AMBROISE. Grand adolescent sans feuille.

CARL. Juste là.

AMBROISE. Torse nu. Duvet au menton.

CARL. J'ai senti que je revenais sur mes pas.

AMBROISE. Tes jeans étaient trempés.

CARL. Je suis resté tout le temps sur la grande route.

AMBROISE, *ne le regardant pas.* Tes yeux, j'ai cherché tes yeux.

CARL. Sur la grande route.

AMBROISE. J'ai tout revu. Tout!

CARL. Tout droit.

AMBROISE. Nos chemises de toile traînaient par terre.

CARL. Tout le temps tout droit.

AMBROISE. Les lignes à pêche étaient pas appâtées.

CARL. Tout le temps, tout le temps tout droit.

AMBROISE. Un ciel d'orage.

CARL. Des heures.

AMBROISE. Arrière-goût de bière chaude.

CARL. Je me suis pas aventuré dans les sentiers.

AMBROISE. Léger.

AMBROISE/CARL. J'étais léger.

CARL. Toujours tout droit.

AMBROISE. Je me suis mis à courir vers la courbe.

CARL. Tellement léger.

AMBROISE. Nu-pieds dans le gravier. Je courais sans mal.

CARL. Des heures.

AMBROISE. Là, juste avant de disparaître, là dans la courbe, je me suis retourné lentement.

CARL. Toujours sur le grand chemin.

AMBROISE. J'avais quatorze ans.

CARL. Je nous aurais sauvés.

AMBROISE. T'en avais douze.

CARL. Je nous aurais sauvés du froid.

AMBROISE. Juste là. Juste dans la courbe.

CARL. Je nous aurais sauvés du grand trou noir.

AMBROISE. Je t'invitais à me suivre.

CARL. Je nous aurais sauvés du silence.

AMBROISE. Je t'invitais à fuir à tout jamais.

CARL. J'aurais marché ma vie.

AMBROISE. « De tous les biens que je possède, peu d'honneurs, trois cœurs à aimer. » *(Émergeant d'un autre monde. Appelant.)* Carl !

CARL. Ambroise ?

AMBROISE. Tu me parlais ?

CARL. Ça fait longtemps ?

AMBROISE. Que tu me parles ?

CARL. Que je suis revenu ?

AMBROISE. Non.

CARL. Je suis pas parti longtemps ?

AMBROISE. T'es jamais parti.

CARL. J'ai la sueur de quecqu'un qui a marché des heures.

AMBROISE. T'es tout le temps resté ici.

CARL. Je le sais que j'ai marché.

AMBROISE. T'es pas parti.

CARL. Je peux te dire tout c'que j'ai vu en chemin.

AMBROISE. Tu vas me dire que t'as vu des arbres, des arbres pis des arbres.

CARL. Je peux raconter mieux que ça.

AMBROISE. Des arbres, d'autres arbres et pis encore des arbres !

CARL. Mieux que ça.

AMBROISE. T'es jamais parti.

CARL. Je dois le savoir que j'suis parti.

AMBROISE. Si tu le sais, pourquoi tu me le demandes ?

CARL. Je suis parti.

AMBROISE. Carl, fais-moi plaisir ; choisis-toi un arbre pis obstine-toi avec lui.

Temps.

CARL. Sept heures et demie.

AMBROISE. Midi vingt !

CARL. Sept heures et demie.

AMBROISE. Midi vingt. Ma montre fonctionne toujours.

CARL. Midi vingt, c'est l'heure de l'accident ! Là, y est sept heures et demie !

AMBROISE. Midi vingt !

CARL. Sept heures et demie !

AMBROISE. Deux arbres ! On va avoir besoin de deux arbres !

Temps.

CARL. Trois heures que je devrais être marié. Là-bas, y a une fiancée qui pense que je me suis sauvé. Deux mille piastres de robe en larmes, vingt pieds de traîne de honte. Une fiancée qui doit s'être pendue avec sa jarretière pis une belle-famille qui se cotise pour un tueur à gages.

AMBROISE. Pas à mon heure.

CARL. La plus belle fiancée du monde pleure. La plus belle Lucie du monde est en train de répandre toutes les larmes de son âme dans une vieille Buick blanche pis louée. Tous les préparatifs ! Tous les énervements ! Tous les doutes ! Oùsqu'y est, Victor ?

AMBROISE. La dernière fois que je l'ai vu...

Temps.

CARL. Y a foncé sur une toute p'tite perdrix ! Notre plus vieux de frère a foncé avec son gros camion sur une toute p'tite perdrix de rien qui traversait le chemin, l'air de rien ! Trois tonnes de truck contre une livre et quart d'oiseau : sportif en ciboire !

AMBROISE, *l'image lui revenant soudainement.* La dernière fois que je l'ai vu, y avait le corps coincé dans la fenêtre du camion et pis le camion arrêtait pas de faire des tonneaux.

CARL. La dernière fois que je l'ai vu, y m'a dit qu'y allait réparer le truck ! Par quel miracle veux-tu qu'y répare cette épave-là ? Par quel miracle ? Y'a des morceaux jusqu'à' frontière de la Russie !

AMBROISE. Quand y va revenir, tombes-y pas dessus !

CARL. Faudra surtout pas contrarier le John Wayne local ? Six de quotient intellectuel jacké sur des bottes de construction. À sept, ça jappe.

AMBROISE. Tu y tomberas pas dessus !

CARL. Là-bas, j'ai deux cents invités qui vont manger du poulet pis, moi, je suis dans marde à cause d'une perdrix. On avait-y besoin de venir dans le bois aujourd'hui ? Ça te tentait de venir dans le bois ?

AMBROISE. Non, ça me tentait pas.

CARL. Veux-tu ben me dire comment ça se fait qu'on finit toujours par faire les quatre volontés de notre overdose de testostérone de frère ?

AMBROISE. On a jamais été capables d'y dire non.

CARL. Ben le jour oùsqu'on va arrêter de se comporter en travailleur social avec lui, on y dira non. J'ai deux cents invités qui cherchent le marié ! Ben, le marié, y a décidé queques heures avant ses noces d'aller voir le camp de pêche de son frère avec son autre frère pour faire plaisir à ses deux frères. Moi qui pensais qu'en me mariant je faisais la pire gaffe de ma vie. Je savais pas que queques heures avant, j'en ferais une plus pire.

AMBROISE. Ça se dit pas !

CARL. C'est quoi encore qui se dit pas ?

AMBROISE. « Plus pire », ça se dit pas.

CARL. Si je le dis, c'est que ça se dit.

AMBROISE. Laisse faire.

CARL. Depuis que tu voyages aux quatre coins du monde, on sait plus trop quelle langue que tu parles pis encore moins comment la parler.

AMBROISE. Laisse faire !

CARL. Dans mon vocabulaire, « pire », ça veut dire que c'est grave ; pis « plus pire », ça veut dire la marde dans laquelle qu'on est.

AMBROISE. J'ai rien dit.

CARL. Dès que t'es arrivé à' maison, y a commencé à nous achaler avec son camp de pêche. Deux jours, qu'y finit pas une phrase par « Quand est-ce qu'on y va ? ». J'avais beau y dire qu'on avait pas le temps de monter sur le chemin des Passes-dangereuses, qu'y nous fallait nous occuper des noces, qu'on le verrait cet automne, son ciboire de camp de pêche... « Quand est-ce qu'on y va ? » À chaque fois que je me trouvais une nouvelle défaite pour pas qu'on monte dans le bois, y avait la face d'un mort à qui on referme la tombe. On l'entendait plus pendant un boute pis, sans avertir, y recommençait ses jérémiades. « Quand est-ce qu'on y va ? » Je l'ai jamais vu aussi bocké sur queque chose.

AMBROISE. Y a toujours été fier de son camp de pêche !

CARL. Pis toi, t'en as rajouté en y faisant à croire que ça te tentait d'y aller.

AMBROISE. Ça lui faisait plaisir.

CARL. Depuis quand tu fais plaisir au monde ?

AMBROISE. Y me semblait que t'étais sur le dos de Victor ! Un à la fois, veux-tu ?! Et pis c'est pas nécessaire de me raconter des histoires où j'étais présent !

CARL. Ah, pour être là, t'étais là. T'avais de l'air à le trouver ben intéressant.

AMBROISE. Un peu de savoir-vivre, Carl ! On s'est pas vus tous les trois depuis trois ans.

CARL. Savoir-vivre !? La dernière fois qu'on s'est vus, c'est à la crémation de la tombe de meman. T'es arrivé juste quand y ont ouvert le propane pis t'es reparti quand y l'ont fermé. Ça doit quand même faire drôle de revenir dans sa famille juste pour voir brûler sa mère. Savoir-vivre ! Y a fallu qu'on entrepose le cadavre pour que le jour de la crémation marche avec ton agenda. Notre pauvre mère, en plus de crever de son interminable cancer, elle a pas réussi à crever entre deux de tes rendez-vous. Savoir-vivre ! Veux-tu que je te raconte une histoire oùsque t'étais pas là ? Oùsque t'étais quand elle agonisait ? Oùsque t'étais pour la torcher, pour la peine, pour les adieux ? Savoir-vivre ! Mais c'est vrai, on avait tes fleurs ! À la maison, à l'hôpital, au salon funéraire. Partout, tes fleurs ! Ça sentait tellement bon, ça effaçait presque l'odeur de la mort. *(Temps.)* À matin, je me suis dit ; « Force-toi, c'est la plus belle journée de ta vie. Commence par une bonne action. D'abord, arrête de faire des farces sur les tapettes devant ton frère tapette... »

AMBROISE. Ha ! Ha !

CARL. « ... Pis rends heureuse ta future pis porte-le, son ciboire de serre-gorge de nœud papillon rose « fif ». Je voulais pas dire « fif », Ambroise, mais dans ma façon de parler rose ça vient avec « fif ». Pis sois fin. Sois fin avec Victor, ton grand insignifiant de frère. » C'te grand flanc mou a une façon de s'émouvoir qui me chavire le cœur. Tu l'as vu ? Une fois nos trois assis dans l'truck ! Y était tellement content. Un enfant.

AMBROISE. Y a pas eu la chance d'avoir l'éducation qu'on a eue.

CARL. Laisse faire tes phrases de snob. C'est pas l'éducation qui fait le bon sens.

AMBROISE. J'ai rien dit.

CARL. La plus belle fiancée du monde pleure.

Temps.

AMBROISE. Le silence, l'espace, le désert vert; j'ai toujours haï la forêt!

Temps.

CARL. On avait pas d'affaire à venir icitte, pas aujourd'hui.

Temps.

AMBROISE. Y a pas de moustiques? C'est normal!

CARL. Non, on avait pas d'affaire à venir icitte.

AMBROISE. «De tous les biens que je possède, de tous les biens...» Depuis l'accident, ça tourne dans ma tête, une obsession... «De tous les biens...»

CARL. Y va finir par passer quequ'un.

AMBROISE. Je pensais pas qu'on pouvait perdre autant de sang.

CARL. Ça va aller.

AMBROISE. Le siège du camion était une éponge de sang.

CARL. Ça va aller.

AMBROISE. On a fait combien de tonneaux?

CARL. Six, huit...

AMBROISE. On a roulé, on a roulé...

CARL. Deux, trois secondes...

AMBROISE. Des heures...

CARL. Une éternité.

AMBROISE. Le verre, le fer, le sang. Je sais pas comment je me suis rendu du camion jusqu'à ici.

CARL. T'es là avec moi. C'est le principal.

AMBROISE. Quand j'ai vu Victor passer par la fenêtre...

CARL. Ça va aller.

AMBROISE. On a fait au moins six tonneaux.

CARL. Y a des pêcheurs qui vont passer.

AMBROISE. C'était tellement violent.

CARL. Y a une van de bois qui va passer.

AMBROISE. Non.

CARL. Y va finir par passer quecqu'un.

AMBROISE. Non.

CARL. On va être secourus !

AMBROISE. Personne va nous secourir.

CARL. À cause que tu dis ça ?

AMBROISE. C'est notre destin !

CARL. Traduis-moi ça.

AMBROISE. J'ai tout revu ; torse nu, les jeans trempées.

CARL. Pis ?

AMBROISE. J'avais quatorze ans.

CARL. Pis ?

AMBROISE. Toi, douze.

CARL. Pis ?

AMBROISE. La forêt, toi, moi, Victor !

CARL. Aboutis !

AMBROISE. C'est ici ! C'est ici que papa est mort !

Temps.

CARL. Tu trouves pas que ça va assez mal comme ça ? Tu penses pas qu'on a notre quota de drames pour aujourd'hui, hein ? Notre père s'est quand même pas réincarné en perdrix juste pour nous faire chier.

AMBROISE. On a eu l'accident au même endroit.

CARL. Tais-toi !

AMBROISE. La rivière.

CARL. Tais-toi !

AMBROISE. Les remous.

CARL. Je t'ai dit de te taire !

AMBROISE. J'ai peur comme j'ai jamais eu peur.

CARL. Farme-la !

AMBROISE. J'y arrive pas.

CARL. Essaye !

AMBROISE. Tout est présent ! « Peu de valeurs, rien à voler, de tous les biens que je possède... »

CARL. Essaye !

AMBROISE. « De tous les biens que je possède... »

Carl prend violemment Ambroise dans ses bras et le garde prisonnier.

CARL. Je suis là. Y va finir par passer quequ'un.

AMBROISE. Depuis quand tu sais prendre quelqu'un dans tes bras ?

CARL. Calme-toi.

AMBROISE. Qui t'a appris à prendre quelqu'un dans tes bras ?

CARL. Chut !

AMBROISE. J'aurais jamais cru...

CARL. Chut !

AMBROISE. Tes bras...

CARL. Calme-toi.

AMBROISE. Je suis dans tes bras.

CARL. Calme-toi !

AMBROISE. Je me suis vidé de mon sang, on a sept heures de décalage, on sait pas où est Victor, tu me prends dans tes bras et pis tu voudrais que je me calme ? Je me calme.

Temps.

CARL. J'avais hâte que tu me voies dans mon bel habit de noces. Je suis sûr que tu m'aurais trouvé swell. Quand Lucie pis moi, on l'a choisi, Lucie a dit : « Ambroise va te trouver ben beau. » *(Temps.)* Je suis toujours pas sûr de la couleur du nœud papillon. *(Ils sourient tous les deux.)* T'es ben smatte d'être venu à mes noces.

AMBROISE. Remerciements, voix douce ? As-tu quelque chose à me vendre ?

CARL, *ému.* Quand j'ai su que tu venais... T'es ben smatte d'être là.

AMBROISE. Je suis ton frère.

CARL. Ça t'obligeait pas.

AMBROISE. Je suis ton frère. *(Temps.)* Qui t'a appris la tendresse ?

CARL. Toi pis tes grandes phrases ! C'est Lucie qui m'a appris.

AMBROISE. Réponds-moi, Carl. C'est ici que papa est mort, hein ?

CARL. C'est ça.

AMBROISE. C'est juste une coïncidence, hein ?

CARL. C'est ça. *(Temps.)* Deux gars collés comme ça ; c'est drôle. On dirait la fin d'un film de guerre avec des soldats... Reste là.

AMBROISE. J'ai envie de bouger.

CARL. Reste !

AMBROISE. Je me suis calmé. Les secours vont arriver. On va retrouver Victor. Tout est pour le mieux dans le meilleur des mondes.

CARL. Tu m'amuses !

AMBROISE. Carl, j'ai pus envie d'être dans tes bras.

Carl libère Ambroise.

CARL. Pis Montréal, toujours pas d'acheteur pour ton condo ?

AMBROISE. Je vois pas c'que ça peut te sacrer.

CARL. Je suis ton frère.

AMBROISE. Non, toujours pas d'acheteur.

Temps.

CARL. Tu me demandes pas comment ça va à l'ouvrage ?

AMBROISE. Comment ça va à l'ouvrage ?

CARL. Y m'ont choisi deux fois l'employé du mois au Club Price.

AMBROISE. Le même mois ?

CARL. Ben non !

AMBROISE. On sait jamais avec le Club Price. Y font tout en double.

CARL. Lucie était pas mal fière.

AMBROISE. Qu'est-ce qu'y t'ont donné comme cadeau ? Quarante-huit rouleaux de papier-toilette ? Six cents tranches de fromage fondu Velveeta ?

CARL. Je me suis toujours demandé c'était qui la famille de boutonneux qu'était capable de manger deux litres de mayonnaise dans une semaine ! *(Ils rient.)* On rit. C'est l'fun. On rit. Tu me demandes pas comment ça va à' maison ?

AMBROISE. Comment ça va à' maison ?

CARL. Très bien !

AMBROISE. T'aimes toujours ça, la banlieue... Je veux dire Québec ?

CARL. Tu sauras que c'est une maudite belle ville. Pis en plus...

AMBROISE. C'est tranquille !

CARL. Tu vends toujours de l'art ?

AMBROISE. « Des œuvres d'art », oui.

CARL. Lucie aimerait ben ça que t'évalues une peinture qu'elle a achetée. Elle pense qu'elle s'est fait avoir. V'là deux ans, elle l'a achetée sur la rue du Trésor à côté du Château Frontenac. Je le sais c'que tu peux penser de c'te rue-là, mais la peinture en question était pas pareille aux autres. Si jamais, un jour, t'arrêtes à Québec, tu pourrais venir l'estimer. 'Est au dessus de notre lit. *(Temps.)* Veux-tu que je te dise c'qu'y a dessus, comme ça t'aurais peut-être pas besoin de la voir ?

AMBROISE. C'est pas nécessaire.

CARL. C'est un mur en vieilles briques...

AMBROISE. C'est pas nécessaire.

CARL. Au premier plan...

AMBROISE. Sans la voir, je peux déjà dire qu'elle s'est fait fourrer.

CARL. C'est ça que Lucie pense aussi. Ça doit pas être toujours facile de travailler dans l'industrie des arts. C'est Lucie qui dit ça. Lucie, a' dit aussi...

AMBROISE. Mon Dieu, je suis dû pour une jase avec Lucie.

CARL. Elle dit que ça doit pas toujours être évident.

AMBROISE. Non, pas toujours.

CARL. On est en train de parler d'art pis on se crie pas par la tête. Je trouve ça le fun.

AMBROISE. Je suis inquiet pour Victor.

Temps.

CARL. Lucie pis moi, on voulait te remercier d'avoir accepté de faire le discours au banquet.

AMBROISE. Je dois être le seul dans la famille qui sait encore écrire.

CARL. Tu veux pas m'en dire un bout ?

AMBROISE. Un bout de quoi ?

CARL. Du discours !

AMBROISE. Ici ?

CARL. Ça nous ferait passer le temps.

AMBROISE. Tu as sept heures d'avance sur moi et en plus tu veux que je te fasse passer le temps.

Temps.

CARL. Juste les bouts drôles.

AMBROISE. Y avait pas de bouts de drôles.

CARL. Un discours de noces pas de farces ?

AMBROISE. Nouveau ! J'essayais ça.

CARL. Envoye.

AMBROISE. Plus tard.

Temps.

CARL. Voyages-tu encore pas mal, c't'année ?

AMBROISE. Pas mal.

CARL. Y paraît que dans les films qui passent sur les avions, y montrent jamais d'écrasement d'avion. C'est des cassettes spéciales juste pour les avions avec « pas d'écrasement d'avion ». C'est un chum au Club Price qui a lu ça. Moi, je suis allé deux fois en Floride. Ç'a pas adonné que je tombe sur des films avec pas d'accidents d'avions. Faut dire qu'y'a pas de film sur ces vols-là. C'est psychologique tout ça. Tu les écoutes-tu, les films, sur les avions ?

AMBROISE. Non.

CARL. Tu devrais. Ce qui est gratis, faut le prendre. Des fois au Club Price, y a des dégustations de bouchées de fromage ou ben de jambon, ou ben de pâté français ou ben de dip ou ben...

AMBROISE, *sévèrement.* Carl !

CARL. On se parle. Je trouve ça l'fun. On se parle. ... Ou ben de vinaigrette, ou ben de liqueur sucrée... *(Ambroise le regarde sévèrement à nouveau.)* Ben moi, je me gêne pas pis j'y goûte. C'est quand même fait pour le monde, ces dégustations-là. Demain, Lucie pis moi, on devrait partir pour la République dominicaine.

AMBROISE. Je le sais. J'ai participé au cadeau.

CARL. Y a-tu un décalage entre icitte pis la République dominicaine ?

AMBROISE. Économique, oui. Horaire, non.

CARL. Est bonne ! Y paraît qu'à c't'heure, y mettent moins d'oxygène pour les passagers ; ça fait économiser le gaz. Moins de gaz, moins cher, mais plus de maux de tête. Lucie a prévu le coup.

AMBROISE. Quoi ? Elle s'apporte un p'tit bidon ?

CARL. Ben non, des aspirines. *(Temps.)* J'me souviens jamais si quand tu remplis la feuille pour la douane, y faut calculer aussi c'que t'achètes dans les magasins pas de taxe ?

AMBROISE, *exaspéré.* Carl, une autre question d'intérêt touristique, je t'achève avec ce qui reste du camion.

CARL, *vexé.* Ça fait des années qu'on s'est pas vus, tu pourrais te forcer le cul pour me répondre comme du monde.

AMBROISE. J'ai dû laisser mes manières avec quelques gallons de sang sur le siège du camion.

CARL. On aurait dû faire comme d'habitude, comme d'habitude ; rien se dire.

Temps.

AMBROISE. Je m'excuse. On se parle. C'est vrai que c'est l'fun. *(Temps.)* Je me suis excusé, Carl. *(Temps.)* Montre-moi tes beaux yeux.

Carl regarde Ambroise.

CARL, *reconnaissant.* Lucie pis moi, on voulait te remercier d'être venu tout seul aux noces. On a apprécié que tu sois pas venu avec ton chum. On a apprécié que tu voulais pas choquer les familles. Lucie a travaillé ben fort pour nos noces. Elle a fait les affaires comme ça devait se faire. Elle a même parlé aux vieilles matantes d'Alma pour être sûre de tout faire le protocole comme y faut, comme une vraie tradition. Ça se perd, les traditions. Où assir le monde pis qui assir avec qui à la table d'honneur, qui faire lire à l'église, qui faire passer la quête...

AMBROISE. Si je suis pas venu avec Martin, c'est parce que Martin a décidé qu'on sortait plus ensemble.

CARL. Je savais pas.

AMBROISE. Martin est en phase terminale d'une maladie dont je suis pas sûr que les vieilles matantes d'Alma aimeraient entendre parler.

CARL. Je savais pas.

AMBROISE. Martin est trop fier pour que je le voie dans cet état-là, ça fait que Martin a décidé que je le verrais pas dans cet état-là.

CARL. Je viens de te dire que je le savais pas.

AMBROISE. Là, tu le sais!!! Veux-tu savoir aussi que la seule relation que j'ai avec Martin, c'est un coup de téléphone que Martin m'autorise à faire une fois par jour, à quatre heures tapant, pour qu'une infirmière me réponde qu'elle va dire à Martin que j'ai téléphoné?

CARL, *sympathisant.* Les assurances couvrent-tu ça ce genre de maladie-là ?

AMBROISE. Ce genre de maladie-là a un nom ! Non, les assurances couvrent pas ce genre de sida-là !

CARL. Je le savais pas !

AMBROISE, *ironique.* Ta sympathie me touche, me bouleverse et me va droit au cœur.

CARL. Quand tu parles comme ça, avec des phrases comme ça, je te reconnais pas. Ambroise, t'étais tellement drôle.

AMBROISE. T'attends-tu à des farces sur l'agonie de Martin ?

CARL. Je me rappelle la fois oùsque Lucie pis toi vous avez fait une tourtière. Y avait de la farine partout pis Lucie...

AMBROISE. Raconte-moi pas les fois où j'étais drôle.

CARL. Pas parlable !

AMBROISE. Surtout pas une histoire de tourtière au lac Saint-Jean. C'est d'un cliché !

CARL. T'étais heureux ! T'étais heureux !

AMBROISE. Une impression, Carl ! Juste une impression. Peine et bonheur. Des impressions ! Famille, frères. Impressions de ressemblance. Rien que des impressions. Impression de guerre au télé-journal. Impression de sauver le monde au téléthon. Impression qu'on est immortel quand on donne son sang. Impression d'un accident sur une route déserte. Impression d'une rivière, d'un père disparu.

CARL. J'voulais juste te remercier d'être venu tout seul.

AMBROISE. Heureux d'être malheureux si ça peut faire ton bonheur.

CARL. On dirait qu'y te les ont toutes fait apprendre par cœur.

AMBROISE. Qui ? Qui m'a appris quoi ?

CARL. Tes phrases toutes faites. Es-tu encore capable d'en faire une normale ?

AMBROISE. C'est quoi, une phrase normale ?

CARL. Comme celle-là que tu viens de dire.

AMBROISE. Quand ?

CARL. Une phrase oùsque le gars qui parle à l'autre, y répond par la question que l'autre vient d'y dire.

AMBROISE. Et pis c'est toi qui me parles de phrase normale ?

CARL. Y t'ont enlevé à nous autres !

AMBROISE. Qui ? Qui m'a enlevé à vous autres ?

CARL. Rien.

AMBROISE. Rien ? Plus rien ?

Temps.

CARL. Des heures. J'ai marché des heures en ligne droite. Comment j'ai fait pour revenir à la même place ? Comment j'ai fait pour tourner en rond en marchant tout droit sur un chemin tout droit ?

Temps.

AMBROISE. Le silence, l'espace, le désert vert ; j'ai toujours haï la forêt !

Temps.

CARL. On avait pas d'affaire à venir icitte, pas aujourd'hui.

AMBROISE. J'imagine qu'on vient de faire le tour de ce qu'on avait d'essentiel à se dire ? On pourrait continuer à parler de nos métiers, mais je pense pas que ça t'intéresse de savoir que, dans ma galerie, le conceptuel est en baisse pis le figuratif à la hausse. Et pis moi, je pense pas que ça m'intéresse de connaître les dernières économies qu'on peut faire dans ton Club Price où t'as été sacré deux fois l'employé du mois. Un bac en administration pour placer des gros formats sur une tablette ; fais ta maîtrise, on sait jamais, tu vas peut-être aboutir aux caisses.

CARL. T'as pas le droit !

AMBROISE. De quoi veux-tu qu'on parle, mon frère ? Veux-tu qu'on parle politique ? Du pays en devenir ? Entre un oui ou un non et pis lequel des deux qui coûte le moins cher, je vois plus ce qu'il nous reste à dire. *(Temps.)* Veux-tu qu'on parle de hockey ? Moi, je trouve la partie intéressante quand les joueurs entrent dans les douches. *(Temps.)* Veux-tu qu'on parle de tes programmes à T.V. et de ce que la p'tite boîte avec des images dedans t'a dit d'acheter cette semaine ? *(Temps.)* Veux-tu qu'on parle de ton seadoo, de ton skidoo, de ta tondeuse, de ta chain saw, de toutes les affaires qui donnent un sens à ta vie, en tout cas qui la remplissent de bruit ? *(Temps.)* Quel mot veux-tu qu'on mette sur le vide ? Veux-tu qu'on partage ce qui nous révolte ? J'étouffe une nouvelle colère à chaque dix minutes, je me battrais pour une nouvelle cause à chaque demi-heure. Je suis féministe à midi, écologiste à trois heures, médecin sans frontières au souper. J'éponge le front le mère Thérésa à deux heures. J'adopte un Rwandais à sept. Je monopoliserais les lignes ouvertes, je noircirais des kilomètres de pétitions, je serais permanent au courrier des lecteurs... Mais je garde toutes les révoltes par en-dedans et pis toutes les révoltes deviennent un gros kyste parce le monde, ç'a de l'air que le monde, on peut plus le changer le monde parce que tout le monde s'occupe de le changer le monde. Ça fait que le soir quand je me couche, je soulage mon gros kyste en m'imaginant lécher les bottes de beaux soldats avec des belles gueules de tueurs, des beaux soldats habillés en latex, les fesses dures comme des melons, les queues dégoulinantes de sperme.

CARL. Tu devrais pas parler comme ça.

AMBROISE. Quand je manque d'imagination, je me loue de l'amour en cassette et pis des fois, je fais livrer. Si possible un p'tit gars d'une famille monoparentale, un p'tit gars de l'est de la ville, un p'tit gars de la misère que je pourrais sauver de la misère. Rien que l'idée que je pourrais le sauver me fait bander...

CARL. Tu devrais pas parler comme ça.

AMBROISE. Je suis pas sûr, Carl, que ça t'intéresse de savoir que je passe mon temps à chercher l'organe, le muscle, le virus, en tout cas, l'affaire qui fait que je suis à la fois trop sensible aux souffrances de l'humanité et pis qu'en même temps je ferais des marches en faveur de la peine de mort. Le jour où je vais trouver l'organe, le muscle, le virus, en tout cas le paradoxe qui fait que j'arrive à accepter toute la médiocrité du mot « vivre », je me l'arrache. Je me l'arrache !

CARL. Trop compliqué pour moi.

AMBROISE. Je vais te simplifier ça. Je suis un homosexuel snob et suffisant, un homosexuel qui a rencontré le cynisme le jour où son chum a rencontré le sida. Toi, t'es un déchet de banlieue, bruyant, polluant, avec des ambitions qui dépassent pas celles que ton gérant de caisse t'accordent. C'est-y assez simple à ton goût ?

CARL. Quand je m'ouvre les yeux le matin, je me dis pas que l'effet de serre ça doit être de ma faute, que les guerres en Afrique c'est de ma faute, que le chômage de mon voisin c'est de ma faute. Quand je me réveille le matin, je me prends pas pour le bon Dieu, ciboire.

AMBROISE. Sujets égrenés sur le fil de l'ennui, phrases sans finale, bruits sans écho. Épuisement ! Zone où aboutissent les conversations de famille ! *(Hurlant.)* SI TU VEUX PAS PARLER DE LA MORT DE PEPA, DE QUOI VEUX-TU QU'ON PARLE, CARL ?

CARL, *hurlant à son tour.* ARRÊTE DE PARLER COMME LUI !

AMBROISE. COMME QUI ?

CARL. C'te ciboire de maladie de vouloir dire tout ce qui se dit pas !

AMBROISE. Pour le temps qu'il nous reste à passer ensemble, on est ce que je viens de simplifier et pis on se contente d'être des impressions de frères. Ça te va ?

CARL. Des vrais frères, c'est pas possible ?

AMBROISE. Impressions d'émotion.

Temps.

CARL. Tu dois même être content de l'accident.

AMBROISE. Ben oui ! V'là trois mois, quand j'ai reçu ton faire-part, je me suis dit : « Tiens, je vais aller faire des tonneaux de truck au Lac Saint-Jean ! »

CARL. Arrête de parler comme si tu m'haïssais.

AMBROISE. Quand l'ambition d'un homme se résume à une piscine hors-terre et un patio traité au créosote.

CARL. Chier sur les autres, c'est mieux ?

AMBROISE. Avec talent, oui ! *(Carl prend Ambroise à la gorge.)*

CARL. Y t'ont enlevé à nous autres.

AMBROISE. T'es achalant avec ça. Qui m'a enlevé à vous autres ?

CARL. Ceux qui t'ont appris à vomir au lieu de parler !

AMBROISE. Tais-toi donc.

CARL. Quoi, la franchise a juste un propriétaire ? T'as le monopole des états d'âme ?

AMBROISE. Tu me fais mal !

CARL. Tu voulais que je te parle ; je suis en train de parler, ciboire.

AMBROISE. Tu me fais mal.

CARL. Défends-toi ! Avant, quand tu nous vantais les exploits de tes folles de Montréal, tu riais. Nous autres, on t'écoutait. On se disait qu'y fallait comprendre, accepter, tolérer. Des beaux mots pour mieux avaler. Quand t'arrêtais de rire, y avait un silence, long comme un malaise. On se disait qu'on aurait dû trouver ça drôle nous autres aussi, qu'on aurait dû rire nous autres aussi.

AMBROISE. Tu me fais mal !

Ils se battent.

CARL. À c't'heure que vous êtes malades, faudrait pleurer ?

AMBROISE. Tu me fais mal, Carl !

CARL. Hier soir, quand le cousin de Lucie est venu avec sa femme pour porter leur cadeau de noces, la manière avec laquelle t'as regardé le cousin... J'ai eu tellement peur qu'il te voie les yeux. Ambroise, t'avais des yeux de violeur d'enfant. Votre maladie vous a pas appris qu'un homme regarde pas un autre homme comme ça ? *(Carl libère Ambroise.)* Tu vas finir par crever comme Martin.

AMBROISE. Quand tu décides de jouer aux vrais frères, tu joues dur !

CARL. Les vrais frères se parlent pas comme on vient de faire.

AMBROISE. Qu'est-ce qu'ils se disent, d'abord, les vrais frères ?

CARL. Y se contentent de se dire que tout va bien.

AMBROISE. Quand tout va mal ?

CARL. Y disent que tout va bien.

AMBROISE. Je vais pas bien, Carl.

CARL. Avant on se disait rien pis c'était mieux comme ça. Les maudits mots... Ça fait juste des problèmes, les mots.

AMBROISE. Je suis malheureux, Carl.

Temps.

CARL. Des heures ; j'ai marché des heures en ligne droite. Comment j'ai fait pour revenir à la même place ?

AMBROISE. Si je suis venu à tes noces, c'est parce que je savais que ça te ferait plaisir et j'avais envie de te faire plaisir. J'étais pas en manque de partys arrosés au gros gin ; pas en manque de troupeaux qui dansent en ligne ; pas en manque de bonnes femmes habillées avec des robes évadées d'un centre d'achats, pas en manque de leur parfum distillé à Taïwan ; pas en manque de leur mari ; la parade des moustaches mal taillées. Ça me tentait pas d'entendre le monde radoter sur les multinationales qui s'amusent avec le niveau du lac Saint-Jean et pis la santé des forêts. Je voulais rien savoir de la visite des pierres tombales de tous ceux qui sont morts du cancer depuis les trois dernières années. Ça me manquait pas de voir Alma, notre ville natale, notre capitale régionale défigurée à l'américaine MacDonald et à l'américaine Kentucky Fried Chicken, mais Alma, la fierté de nos plus ardents nationaleux. Les cow-boys sur leux Bronco !

CARL. C'est du bon monde !

AMBROISE. Les topless de haltes routières !

CARL. C'est du bon monde !

AMBROISE. Les gérants de Dollarama !

CARL. C'est du bon monde !

AMBROISE. Les caïds de marchés aux puces !

CARL. Du bon monde !

AMBROISE. Les mafieux des dépotoirs municipaux ! Économie tiers-mondiste ! Le festival du bleuet, de la patate, de la gourgane, de la p'tite fraise, de la vesse de loup... Non !!! Y'a plein de souvenirs insignifiants dont j'avais pas envie de me rappeler. La fois où j'ai cuisiné une tourtière avec ta fiancée, je veux pas m'en rappeler. Je suis prêt à me payer une psychanalyse pour effacer à tout jamais de ma mémoire un passage aussi inutile de ma vie.

CARL. Débarque de sur son dos !

AMBROISE. Puis fais-lui savoir qu'un faire-part mauve et fuchsia avec des lettres d'or, c'est de très, très mauvais goût !

CARL, *menaçant.* Encore un mot contre elle, encore un !

AMBROISE. J'ai toujours dit à qui voulait l'entendre que mon premier amour... J'ai toujours dit que mon premier amour, ç'avait été toi, Carl. J'ai dit à qui voulait l'entendre que mon frère était le plus bel homme sur la terre. Le premier dessin que j'ai fait, c'était ton visage. Mon premier poème portait ton nom. Je t'ai dédié mes premières masturbations. Sans que tu le saches, sans que tu t'en aperçoives, tu m'as fait découvrir ce que la senteur d'un homme avait de prometteur, ce qu'un clin d'œil avait de grisant, ce que se raser avec toi avait d'érotique, ce que dormir collé contre toi avait d'apaisant. Par toi, j'ai compris que j'avais du goût. Tu m'as fait comprendre ce que la beauté voulait dire. *(Ils se regardent.)* Ça, mon beau Carl, c'étaient des phrases que je m'étais juré de te dire aujourd'hui.

CARL. Disais-tu ça dans ton discours ?

AMBROISE. Oui.

CARL. T'aurais dit devant tout le monde que tu te crossais en pensant à moi ?

AMBROISE. Oui.

CARL. Sais-tu, je commence à trouver que cet accident-là a du bon !

AMBROISE. Martin... tu sais le gars que t'es content qu'il soit pas venu, Martin qui est en train de disparaître sur son lit de martyr, Martin qui a plus la force de mentir... Martin m'a fait comprendre qu'y faut pas attendre d'être malade à en crever pour être franc. Y a rien de plus franc qu'un mourant. *(À lui-même.)* J'suis pathétique. Mon chum se meurt du sida, j'avoue à mon frère que je l'aimais et c'est moi qui accuse les autres de cliché.

CARL. Ton amour pour moi, c'est comme la bave, le sang, la sueur de tes semblables : c'est du poison. Quand tu dis que t'es revenu pour me faire plaisir, c'est du poison.

AMBROISE. Maintenant que tout a été dit, est-ce qu'on peut parler de papa ?

CARL. J'ai le talent du bonheur. C'est Lucie qui dit ça. Tous les souvenirs que j'avais de toi pis de moi, c'était des souvenirs de bonheur. En disant ce qu'un frère dit pas à son frère, t'as tout empoisonné.

AMBROISE, *soudain.* Un camion !

CARL. Quoi ?

AMBROISE. J'entends venir un camion.

CARL. J'entends rien.

AMBROISE. Y se rapproche.

CARL. J'entends rien !

AMBROISE. On va le voir.

CARL. J'entends rien !

AMBROISE. Y'arrive.

CARL. Où ça ?

AMBROISE. On va le voir !

CARL. Je vois rien !

AMBROISE. Y devrait être là.

CARL. Je vois rien !

AMBROISE. Y'aurait dû être là.

CARL. J'ai rien vu.

Temps.

AMBROISE. Carl ?

CARL. Quoi ?

AMBROISE. Y a pas de moustiques ; c'est pas normal, hein ? Carl ?

CARL. Quoi ?

AMBROISE. Je pense qu'on est morts !

Victor les rejoint avec une caisse de grosses bières.

VICTOR. Des heures. J'ai marché des heures en ligne droite. Comment j'ai fait pour revenir à la même place ? Comment j'ai fait pour tourner en rond en marchant tout droit sur un chemin tout droit ? Dans la courbe, c'est là que j'ai senti un déjà-vu.

AMBROISE. Vous étiez juste là devant moi. Seize et douze ans. Vous aviez seize et douze ans. Des grands adolescents sans feuille. Torse nu. Barbe au menton.

VICTOR/AMBROISE ET CARL. Juste là.

VICTOR ET CARL. J'ai senti que je revenais sur mes pas.

AMBROISE. Nos jeans étaient trempés.

VICTOR ET CARL. Je suis resté tout le temps sur la grande route.

AMBROISE. Vos yeux, j'ai cherché vos yeux.

VICTOR ET CARL. Sur la grande route.

AMBROISE. J'ai tout revu. Tout !

VICTOR ET CARL. Tout droit.

AMBROISE. Nos chemises de toile traînaient par terre.

VICTOR ET CARL. Tout le temps tout droit.

AMBROISE. Les lignes à pêche pas appâtées.

VICTOR ET CARL. Tout le temps, tout le temps tout droit.

AMBROISE. Léger.

AMBROISE/CARL/AMBROISE. J'étais léger.

AMBROISE. Je me suis mis à courir vers la courbe.

VICTOR ET CARL. Tellement léger.

AMBROISE. Nu-pieds dans le gravier.

VICTOR ET CARL. Toujours sur le grand chemin.

AMBROISE. J'avais quatorze ans.

VICTOR ET CARL. Je nous aurais sauvés.

AMBROISE. T'en avais douze.

VICTOR ET CARL. Sauvés du froid.

AMBROISE. Juste là. Juste là dans la courbe.

VICTOR ET CARL. Sauvés du grand trou noir.

AMBROISE. Fuir !

VICTOR ET CARL. Sauvés du silence.

AMBROISE. Fuir à tout jamais.

VICTOR ET CARL. J'aurais marché ma vie.

VICTOR ET AMBROISE. « De tous les biens que je possède, peu d'honneurs, trois cœurs à aimer. De tous les biens que je possède.... »

Temps.

AMBROISE, *criant.* VICTOR !

VICTOR. Ambroise ?

Temps.

CARL, *provocateur.* Pis, as-tu retrouvé ta perdrix ?

VICTOR. Non, juste de la bière. Elle s'est faite brasser un peu.

CARL. Pas rien que la bière qui s'est faite brasser.

AMBROISE. Ça fait longtemps que t'es parti ?

VICTOR. Où ça ?

AMBROISE. T'as la sueur de quelqu'un qui a marché des heures.

VICTOR. Je suis resté tout le temps icitte.

AMBROISE, *à Carl.* Victor est parti, hein ? *(Temps.)* Carl ?

CARL. Toujours pas fini de réparer le camion ?

VICTOR. Comment veux-tu que je répare c't'épave-là ? Y a des morceaux jusqu'à' frontière de la Russie. Ç'a toujours été une ben méchante courbe. Les bûcherons m'ont confié qu'y a déjà eu deux vans de bois qui se sont renversées icitte.

CARL. Méchantes confidences.

VICTOR. Y a rien qu'une manière de la prendre.

CARL. En pesant sus le gaz, je suppose ?

VICTOR. Mes enfants aussi trouvent que je conduis vite.

CARL. J'aurais finalement de quoi en commun avec les deux affaires qui me servent de neveux ?

AMBROISE. Lâche l'os, Carl !

VICTOR. On verra pas le camp de pêche aujourd'hui.

CARL. Méchante nouvelle !

VICTOR. Y est déjà cinq heures et quart.

CARL. Y est sept heures et demie.

VICTOR. Cinq heures et quart.

CARL. Sept heures et demie.

AMBROISE. Trois arbres. On va avoir besoin de trois arbres !

Temps.

VICTOR. C'est triste quand on fait pas ce qu'on avait prévu !

CARL. Un mariage cancelé, ça fait-t'y partie de ta liste ?

AMBROISE. Annulé ! « Cancellé », c'est pas français.

CARL. Laisse-moi parler !

AMBROISE. Mais j'imagine que « cancellé », c'est « plus pire » qu'annulé.

CARL. Victor, tu vas me regarder !

VICTOR. Y a une centaine de pieds d'arbres en façade, après, les bûcherons ont tout rasé. Un train routier de bois aux deux minutes. Y ont des nouvelles machines qui mangent mille deux cent cinquante arbres par jour. En quinze secondes, la machine découpe une épinette de cinquante pieds en cinq billots. Y coupent plus vite qu'on replante.

« Amazonie du nord, décharnée comme une vieillesse. Ta souffrance, mon silence, mon grand désert vert, Amazonie du nord, qu'on viole, qu'on agresse... »

Pendant qu'y vous amusent en ville, icitte y vident le décor.

CARL. Victor, tu vas me regarder pis tu vas t'excuser pour l'accident !

VICTOR, *à Ambroise*. Devinez le nom de c'te fleur-là ?

AMBROISE. Quoi ?

VICTOR. La fleur !

AMBROISE. Quoi, la fleur ?

VICTOR. C'est une gaillarde.

CARL. Lis, marguerites, roses; c'est les fleurs dans le bouquet de Lucie.

VICTOR. Pis là, à côté ?

AMBROISE. C'est des bleuets.

VICTOR. Y en a deux sortes de bleuets. Là, c'est des angustrifoliés pis tout à côté, y a des myrtilloïdes. Lui, y le savait. C'est son esprit qui m'a appris ça. Vous pensiez pas que j'allais vous apprendre quecque chose un jour, hein ? Vous pensiez pas que votre grand insignifiant de frère était capable de connaître queque chose que vous saviez pas, hein ? *(À Ambroise.)* Ton frère qui passe ses samedis dans les ventes de garages, ton frère qui va voir les topless dans les haltes routières, ton frère qui mange des Big Macs ?

AMBROISE. Tu m'as appris à me défendre. Tu m'as appris à pas avoir honte, à refuser de faire rire de moi. Tu m'as appris que les femmes étaient belles, que c'était beau d'avoir des enfants. C'était des phrases que je m'étais juré de te dire aujourd'hui.

CARL. Y en a qui ont des plus beaux discours que d'autres.

VICTOR. Notre père nous écoute. Ses garçons se parlent. Y est content.

CARL. Un peu de savoir-vivre, Victor !

Victor passe affectueusement sa main sur la tête d'Ambroise.

AMBROISE. Qui t'a appris la tendresse ?

VICTOR. Toi pis tes grandes phrases. C'est lui.

AMBROISE. Moi qui pensais qu'en venant aux noces, je faisais la pire gaffe de ma vie. Je savais pas que, juste avant, j'en ferais une pire.

VICTOR. Ça se dit ?

AMBROISE. Quoi ?

VICTOR. C'est pas « plus pire » qu'y faut dire ?

AMBROISE. Ça se dit pas.

VICTOR. Tu devrais vérifier parce tout le monde icitte disent « plus pire ».

AMBROISE. Ce matin, je me suis dit : « Fais un effort ! Ton p'tit frère se marie. Commence par une bonne action. D'abord arrête de faire ton bec fin sur tout, ton prétentieux sur rien et pis sois fin. Insiste aussi pour aller voir le camp de pêche du plus vieux. Ensuite, fais plaisir à ta future belle-sœur et pis fais-la rire. Elle aime ça, tes farces. » Je lui ai fait une farce sur sa robe. En tout cas, elle, elle a pensé que c'était une farce.

CARL. Débarque de sur son dos !

AMBROISE. T'aurais dû la voir. Une enfant.

VICTOR. Tu me demandes pas comment ça va à l'ouvrage ?

AMBROISE. Comment ça va à l'ouvrage ?

VICTOR. Le mois passé, j'ai été nommé deux fois « planteur du mois ». J'ai planté soixante-dix mille arbres pis deux gars à' taverne.

AMBROISE. Est bonne.

VICTOR. Quand est-ce que tu nous présentes une blonde ?

AMBROISE. Est bonne !

VICTOR. Je comprendrai jamais. T'étais le meilleur au hockey.

AMBROISE. Je vais t'expliquer ; chaque fois que je marquais un but, j'avais trois ou quatre colosses excités qui me sautaient dessus pis qui m'embrassaient. Ça fait que j'en ai marqué des buts.

VICTOR. Un homme, ça ronfle, ç'a du poil, c'est pas fidèle, c'est lâche, ça se lamente dès que ça travaille, ça s'endort après, ça parle pas pis quand ça parle, c'est pour dire des menteries. Je comprendrai jamais.

AMBROISE. Une semaine avec toi, je vire aux femmes.

VICTOR. On rit. C'est l'fun. On rit.

AMBROISE. T'aimes toujours ça, la campagne... J'veux dire Alma.

VICTOR. C'est une belle ville.

AMBROISE. Comment ça va à la maison ?

VICTOR. Oui. Oui.

AMBROISE. Tes enfants ?

VICTOR. Hein ?

AMBROISE. Tes enfants ?

VICTOR. Oui. Oui.

AMBROISE. Ton ex ?

VICTOR. Oui.

AMBROISE. Ta nouvelle ?

VICTOR. Je te l'ai déjà présentée ?

AMBROISE. Je la connais.

VICTOR. Ah, tu voulais parler de ma deuxième femme ? Je pensais que tu parlais de la nouvelle.

AMBROISE. T'as pas le temps de t'ennuyer.

VICTOR. Le bon Dieu les a créées une par une pour pas qu'on s'ennuie.

AMBROISE. Y devait être en sabbatique quand j'suis né.

Ils rient.

VICTOR. On rit. C'est l'fun.

CARL. Par chance qu'on a un fif dans' famille : on manquerait de farce.

VICTOR. Quand tu ris, ça t'enlève tes yeux tristes.

AMBROISE, *touché.* Est bonne

Temps.

VICTOR. Prends donc une bière, Carl !

CARL. Excuse-toi !

VICTOR. T'aurais dû venir avec ton chum. Ça nous aurait fait plaisir.

AMBROISE. Ah oui ?

VICTOR. Les enfants auraient aimé ça voir.

AMBROISE. Voir quoi ?

VICTOR. « Voir. » Sors-tu encore avec ?

AMBROISE. Oui. Non.

VICTOR. Pas d'avocat ?

AMBROISE. Pourquoi faire ?

VICTOR. Pension alimentaire !

AMBROISE. Non !

VICTOR. Vous êtes ben, vous autres.

AMBROISE. On se bat pour avoir vos avantages.

VICTOR. C'est ça que ça doit vouloir dire « masochiste ». *(Ambroise sourit.)* Ça t'enlève tes yeux tristes.

CARL. La plus belle fiancée du monde pleure.

VICTOR. On se parle. Notre père est content.

CARL. La plus belle Lucie du monde est en train de répandre toutes les larmes de son âme.

VICTOR. Pis Montréal, toujours pas d'acheteur pour ton condo ?

AMBROISE. Je vois pas c'que ça peut te sacrer.

VICTOR. Je suis ton frère.

AMBROISE. Non, non, pas d'acheteur.

VICTOR. T'es ben smatte d'être venu aux noces du p'tit !

AMBROISE. Je suis son frère.

VICTOR. Rien t'obligeait.

AMBROISE. Je suis son frère.

VICTOR. T'es ben smatte d'être revenu.

CARL. Tous les préparatifs. Tous les énervements.

AMBROISE. Victor, c'est ici que pepa est mort, hein ?

VICTOR. Je suis revenu souvent, à toutes les saisons. Au début, une ou deux fois par mois. Après, ç'a été presque à chaque semaine. Je suis revenu des fois avec mes enfants, trop souvent. J'ai fini par les écœurer avec notre histoire. Mes enfants savent c'qu'on a faite à not' père. J'ai trouvé les mots pour qu'y comprennent. Je suis revenu une fois avec meman. Avec elle, j'ai pas trouvé les mots. Elle voulait juste savoir oùsque ça s'était passé. J'acceptais pas qu'on ait pas retrouvé son corps. Les semaines après sa mort, je m'attendais chaque jour à ce qu'y revienne à' maison, la face boursouflée, les yeux sortis des orbites, le corps couvert d'algues, les souliers pleins de vase, des truites encore grouillantes dans ses poches, récitant un poème inspiré d'un fond de rivière. Là, y aurait été fier de nous surprendre. À jeun, y nous aurait dit qu'on était trois minables mal instruits, pis saoul, y nous aurait appelés ses princes. Là, y aurait essayé d'attraper Carl pour l'assir sur ses genoux juste pour le fun de le voir se choquer ; toi, Ambroise, tu y aurais crié de lâcher Carl, pis moi, j'aurais faite comme si ça me faisait rien qu'on s'occupe pas de moi. Je m'imaginais l'entendre nous raconter qu'y avait pas eu peur, qu'y avait pas souffert pis qu'y avait le contrôle sur le monde des abîmes. Mais y revenait pas, y revenait jamais. Les nuits de lune, je m'assoyais sur la galerie, en fixant le bout de la rue, en espérant que les ombres des arbres s'animent pis prennent sa forme. Au début, je me suis dit que j'étais mieux que les plongeurs de la police. Je me suis dit que c'était moi qui le retrouverais. Que c'était à moi, à moi le plus vieux, de le retrouver. C'est pas parce que t'es quequ'un sans envergure, c'est pas parce que t'as hurlé toute ta vie, c'est pas parce que tes garçons t'aiment pas que tu mérites de disparaître comme ça, corps et âme. Sans ça, toutes les rivières d'icitte seraient jonchées de cadavres de pères. J'ai fouillé les baies, les ruisseaux, les fosses. En chaloupe, avec des bâtons, des cordes, des crochets... J'ai commencé à y parler comme si y était là, à queque part, pas loin. On a appris à s'écouter. Là, y'est en train de nous écouter. On est enfin tous les trois, icitte. Y est content.

CARL. On avait pas d'affaire à venir icitte ! Là, tu vas me regarder pis tu vas t'excuser comme tu t'es jamais excusé ! ! !

Carl prend Victor à la gorge.

VICTOR. Tu me fais mal !

CARL. Excuse-toi !

VICTOR. Tu me fais mal !

CARL. T'as ruiné mes noces.

VICTOR. Ce matin-là, tu t'étais levé avec tes yeux de p'tit tannant. T'avais commencé ta journée en bavant tout le monde.

CARL. Quand ça?

VICTOR. C'te jour-là, t'avais le diable au fond des yeux.

CARL. De quoi tu parles?

VICTOR. C'était une journée chaude, collante. Ambroise!

Temps. Victor se libère.

AMBROISE. Chemises de sueurs, barbes naissantes.

VICTOR. Tout autour, des ciels d'orage.

AMBROISE. On était au milieu de quelque chose. Dans l'œil de quelque chose.

VICTOR. On était là, tous les trois. Une autre partie de pêche avec papa.

AMBROISE. Papa aimait la pêche.

VICTOR. Ça fait qu'on avait pas le choix d'aimer ça.

AMBROISE. Dès que vendredi sonnait quatre heures, chaque vendredi, c'était le même cérémonial. On passait acheter les appâts et pis le manger.

VICTOR. Des cretons, des crottes au fromage...

AMBROISE. ... Du fromage en crottes...

VICTOR. ... Pis de la bière, de la bière.

AMBROISE. Papa aimait la bière. Ça fait qu'on avait pas le choix d'aimer ça.

VICTOR. Pis encore de la bière!

CARL. C'est quoi que vous faites?

AMBROISE. Après des heures de gravier et pis de poussière, le camion s'exténuait au bord d'une rivière, une autre supposée miraculeuse.

VICTOR. C'est là qu'on s'apercevait que le patriarche avait oublié soit les cannes à pêche, soit les appâts, ou pire...

AMBROISE/VICTOR. L'huile contre les moustiques !

VICTOR. Mais on avait de la bière.

AMBROISE. Y décapsulait quatre grosses pis tout était plus facile à avaler. Carl !

CARL. J'embarquerai pas dans votre jeu de malades.

VICTOR. C'te fois-là, y avait oublié le lunch.

AMBROISE. On savait que la pêche allait être plus courte que de coutume.

VICTOR. J'étais en train d'installer mes gréements quand j'ai entendu le père commencer à lire.

AMBROISE. « Poème à mes fils oubliés. »

CARL. Pas aujourd'hui !

AMBROISE. « De tous les biens que je possède,
peu de valeurs, rien à voler,
De tous les biens, de peu de biens,
des biens de peu...
De tous les biens que je possède,
peu d'honneurs mais trois cœurs à aimer.
De tous les biens, de peu de biens de...

VICTOR. De tous les biens que je possède,
peu de bonheur, rien à envier,
De tous les biens, de peu de biens,
des biens de peu...
de tous les biens que je possède,
peu d'heures que je leur ai données. »

VICTOR/AMBROISE. « De tous les biens que je possède,
peu de chaleur, rien à voler,
De tous les biens que je possède,
peu d'honneurs mais trois âmes à aimer.
De tous les biens que je possède,
trois splendeurs que j'aurai pillées,
De tous les biens que je possède,
Yeux, Âme et Cœur, les ai ainsi nommés. »

VICTOR. Carl, tu t'es mis à le niaiser.

AMBROISE. « De tous les biens de peu, de péteux, de ciboire de péteux de brou. »

VICTOR. On s'est mis à rire.
« De péteux de brou, de peu, de pas mal peu. »

CARL. C'est quoi que vous faites ?

VICTOR. On arrêtait pas de rire.

AMBROISE. « Yeux, Âme et Cœur, les ai ainsi nommés. Peu d'honneurs, rien à... rien à... rien. » Le père s'est arrêté de lire. Y'a pris une grosse gorgée. On l'aurait poignardé, ça aurait été moins grave.

VICTOR. Les insultes ont commencé à pleuvoir.

AMBROISE. Carl, t'as enlevé ton gilet, tes bottes.

VICTOR. T'as bravé le pére : « Essaye de m'attraper ! »

AMBROISE. « Essaye de finir ton poème ! »

VICTOR. Le père a décidé de t'attraper.

AMBROISE. T'as pas eu le temps d'enlever tes jeans.

VICTOR. Tu t'es sacré, tête première, dans la rivière.

CARL. Pas aujourd'hui !

VICTOR. T'étais tellement baveux !

AMBROISE. Tellement beau !

CARL. Attendez pas que j'aille vous la fermer.

VICTOR. Envoye ! Viens !

AMBROISE. Le père a dit...

VICTOR. « Attendez pas que j'aille vous la fermer ! »

AMBROISE. Carl, t'as dit...

VICTOR. « Envoye, viens ! »

AMBROISE. T'avais le dessus sur lui. Ton visage avait la lumière du mal.

VICTOR. Je me suis jeté à l'eau à mon tour.

AMBROISE. Je vous ai suivis.

VICTOR. Maudit qu'on s'aimait, nos trois.

AMBROISE. Maudit qu'on s'aimait.

VICTOR. Papa s'est mis à jurer comme y avait jamais juré.

AMBROISE. Impressions de souvenirs heureux.

VICTOR. Trois frères, une grosse bière dans les mains, s'amusant à faire hurler leur poète de père.

CARL. Pas aujourd'hui !

AMBROISE. Y nous disait de sortir de l'eau.

CARL/AMBROISE/VICTOR. Pas aujourd'hui !

AMBROISE. Y disait qu'on allait se noyer.

CARL. Arrêtez ça !

AMBROISE. Tu riais, Carl.

VICTOR. Pis tu continuais : « De si peu de péteux de brou... »

CARL. Arrêtez !

AMBROISE. Le père savait pas nager.

CARL, *hurlant.* Y SAVAIT RIEN FAIRE ! *(Temps.)* Nos amours, nos joies, nos secrets, y pensait que tout y appartenait. Y pensait qu'y avait le droit de faire des poèmes tristes sur tout.

VICTOR. On riait tellement.

AMBROISE. « Envoye ! Viens ! »

VICTOR. Là, y s'est décidé à venir.

AMBROISE. On s'est arrêtés de rire.

CARL. Pas moi !

VICTOR. Y s'est avancé sur les roches glissantes du bord de l'eau. Son poème dans une main, sa bière dans l'autre. Y a perdu l'équilibre. Y'a failli échapper sa bouteille. Y a voulu se redresser mais ça l'a débalancé. Son poème est tombé dans l'eau.

CARL. Y l'a suivi.

Temps.

VICTOR. Y est tombé du côté des rapides.

AMBROISE. Le premier réflexe, ç'a été de sauver sa bouteille.

VICTOR. Sa muse.

AMBROISE. Dans les rapides, y avait le bras dans les airs comme la statue de la Liberté qui aurait troqué sa torche contre une grosse Labatt.

VICTOR. Pis de l'autre, y essayait d'attraper son poème.

CARL. Pis y avait encore son ciboire d'air qui disait; Regardez, comment j'ai pas peur.

AMBROISE. Tout d'un coup, dans ses yeux de fausse bravoure, on a vu le passage de sa bouteille à sa vie.

VICTOR. Y a compris qu'on l'aiderait pas.

CARL. Sans dire un mot, sans se regarder, on a baissé la tête...

AMBROISE, *à voix basse.* Je voulais pas qu'y m'appelle.

VICTOR, *à voix basse.* «Victor, sauve-moi ! Sauve-moi !» Envoye, demande-moi de te sauver.

AMBROISE, *à voix basse.* Je voulais pas qu'y m'appelle.

VICTOR, *à voix basse.* Fais-moi sentir que j'existe. Dis-le, tabarnac ! «Sauve-moi !»

AMBROISE, *à voix basse.* Je voulais pas qu'y m'appelle.

CARL, *à voix basse.* Rien savoir. Je voulais rien savoir.

VICTOR, *à voix basse.* Demande-moi de te sauver ! *(Temps.)* Rien. Ben crève.

AMBROISE, *à Carl, à voix basse.* Je me devais de le sauver. Je le devais. Tu m'en aurais voulu, Carl.

CARL, *à voix basse.* Crève.

VICTOR. «Rien, de peu, de si peu de peu,
De tous les biens, des biens de peu.»

AMBROISE. Quand j'ai relevé la tête, y était plus là.

VICTOR. J'ai suivi la bouteille dans les cascades.

AMBROISE. J'ai suivi le poème.

VICTOR. La bouteille s'est brisée contre un rocher. Un tout petit toc dans le vacarme de la rivière.

AMBROISE. Le poème a disparu dans le tourbillon.

CARL. Le silence.

VICTOR. Le vacarme.

AMBROISE. J'ai couru nu-pieds dans le gravier. Je voulais fuir à tout jamais. *(À Carl :)* Rendu à la courbe, je t'ai fait un signe pour que tu me suives. Tu t'es mis à pleurer.

CARL. Un jour à l'aréna, je regardais la partie de hockey assis avec le monde dans les estrades. Vos deux, vous étiez sur la glace. Le bonhomme est arrivé en retard. Y s'est assis à côté de moi. Y m'a offert une gorgée de bière que je pouvais pas refuser. À huit ans, un gars refuse pas la gorgée de bière de son père. Y vous encourageait en beuglant vos noms. « Vas-y, Prince Victor ! Vas-y, Prince Ambroise ! » Princes ! Des noms de chien. Quand y s'est levé pour vous applaudir, j'ai vu les feuilles qui dépassaient de sa poche. J'ai compris qu'y allait avoir de la marde. Comment ce que des feuilles remplies de poèmes peuvent faire aussi peur à un enfant ? L'intermission arrivée, y s'est avancé, saoul, au beau milieu de la patinoire, pis pendant que la zamboni faisait le tour de lui, y s'est mis à déclamer un autre de ses ciboire de poèmes.

VICTOR, *pendant que Carl parle.* « Prison du froid, geôle de mon âme
Pétrifie ma langue et laisse-moi... »

CARL. J'ai baissé la tête. L'univers entier riait du saoûlon qui hurlait son âme au centre de la glace.

VICTOR. « Prison d'effroi, enjôle mon âme,
Durcis mon cœur et enlace-moi... »

CARL. La fois du vendredi de la Saint-Jean Baptiste, quand y ont pas voulu le mettre dans les festivités. Y est monté quand même sur la scène, pis y a réussi à beugler au micro. On a encore baissé la tête. Je continue ? C'est quoi ? Le temps ? Les remords ? Les insomnies ? C'est quoi qui vous a rendus amnésiques ? Le bonhomme a été tout d'un coup « upgradé » dans vos mémoires ? Notre sainte mère qui expliquait aux agents du B.S. que si on était dans la misère, c'était parce que son mari était pas né à la bonne place pis à la bonne époque.

VICTOR. Elle disait que le monde d'Alma était pas prêt à entendre l'invisible.

AMBROISE. « Le monde d'Alma avait pas d'amour pour le beau. »

CARL. Les autres flows avaient des pères qui disaient rien à' maison, pas plus en semaine qu'aux fêtes, y disaient rien à' job. Ciboire que je les enviais. J'ai tellement, tellement fait rire de moi. On nous appelait les crapets du poète-pêcheur. Les enfants tristes du poète triste. Moi, je nous appelais les professionnels du baissage de tête. À chaque fois qu'y ouvrait la gueule, je me disais : ça y est, y va encore mettre des mots sur tout ! Y va nous faire un poème sur le vagin de meman, sur la fumée des usines, sur la coupe de cheveux de ma nouvelle blonde... Quand y a dérivé dans' rivière, j'ai compris que notre avenir se jouait. Lui disparu, on avait le choix de faire ce qu'on voulait de nos vies. Devenir comme lui, un diseux d'invisible, un ciboire de pelleteux de nuages qui hallucinait au lieu de se bouger le cul. Devenir comme toi, Victor, du monde qui restent icitte pis qu'y attendent le messie du travail, le messie de l'argent, le messie du nouveau pays en enjolivant le bon vieux temps. Devenir comme toi, Ambroise, un encourageux d'artistes, un snob qui vomit son malheur sur les autres. On a eu le choix. Ambroise, je le sais que j'travaille pas pour ce que j'ai étudié, mais mon pain, je le dois pas à l'assistance publique. J'ai le secret du bonheur ! Je dors bien, je mange bien pis y m'arrive d'avoir du plaisir !

AMBROISE. On l'a laissé mourir.

CARL. Y est tombé à l'eau pis y s'est noyé. La mort d'un ivrogne griffonneux de rimes à cinq cennes dont tout le monde se moquait.

VICTOR. On l'a tué, Carl.

CARL. Si jamais un de nous autres l'avait rattrapé, le pére se serait accroché à lui pis y y serait passé avec lui. Je me mariais, aujourd'hui ! J'imagine que ça veut rien dire pour vous autres ? C'est plus important de se rappeler le jour oùsque vos vies se sont arrêtées que de célébrer l'avenir de votre frère ?

VICTOR. Quinze ans. Jour pour jour, Carl.

Temps.

CARL, *réalisant.* Ça voulait rien dire !

VICTOR. Tu nous a réunis, Carl.

CARL. Ça voulait rien dire !

VICTOR. Quand j'ai su la date de tes noces, j'ai compris que c'était aujourd'hui le jour de la réconciliation.

CARL, *ravagé.* Ça voulait rien dire ! *(Temps.)* C'était supposé être la plus belle journée de ma vie.

VICTOR. Les plongeurs de la police ont passé une semaine à le chercher.

AMBROISE. Y faudrait que j'appelle Martin.

CARL. On avait fait comme la tradition.

VICTOR. Quatre plongeurs pis ben de l'équipement.

CARL. Je l'aime, Lucie.

VICTOR/CARL/AMBROISE. Des heures. J'ai marché des heures en ligne droite. Comment j'ai fait pour revenir à la même place ? Comment j'ai fait pour tourner en rond en marchant tout droit sur un chemin tout droit? Dans la courbe, c'est là que j'ai senti un déjà-vu. Un déjà-vu.

VICTOR. Y'a une seule place oùsqu'on a jamais pu regarder pour le retrouver, c'est dans le tourbillon des Passes-dangereuses. J'suis sûr qu'y'est encore là, dans les remous, à tourner, tourner, comme dans ses poèmes.

AMBROISE. Litanies qui recommencent sans cesse. On change un mot, le temps du verbe. On pensait que c'étaient juste des phrases qu'il nous répétait pour qu'on finisse par l'écouter. Sa poésie, c'était comme sa vie : une interminable litanie, plaintive, qui se répétait, qui se répète...

VICTOR. ... qui va se répéter. On est prisonniers de sa poésie.

Soudain.

AMBROISE. Entendez-vous?

CARL. Quoi?

VICTOR. Oui. Je l'entends. Y se rapproche.

CARL. C'est quoi?

VICTOR. Un truck!

AMBROISE. Taisez-vous!

CARL. Encore un truck?

AMBROISE. On va le voir là.

VICTOR. Y s'en vient.

AMBROISE. Il arrive.

CARL. C'est comme tantôt!

VICTOR. Le v'là!

CARL. Je vois rien !

AMBROISE. Y devrait être là.

CARL. Je vois rien !

VICTOR. Y aurait dû être là.

AMBROISE. On l'a entendu venir, hein ?

CARL. J'ai rien vu.

Temps.

AMBROISE. Fausse coïncidence.

VICTOR. Ça va aller !

AMBROISE. Je pensais pas qu'on pouvait perdre autant de sang.

VICTOR. Ça va aller.

AMBROISE. Le siège du camion était une éponge de sang.

VICTOR. Ça va aller.

AMBROISE. Combien de tonneaux ?

VICTOR. Six, huit...

AMBROISE. On a roulé, on a roulé...

VICTOR. Deux, trois secondes...

AMBROISE. Le verre, le fer.

VICTOR. Une éternité.

AMBROISE. Je sais pas comment j'me suis rendu du camion jusqu'à ici.

VICTOR. T'es là, avec nous autres ; c'est le principal.

AMBROISE. C'était tellement violent. T'étais coincé dans la fenêtre, Carl roulait dans le fossé...

VICTOR. Calme-toi !

AMBROISE. Y a des pêcheurs qui vont passer !

VICTOR. Non.

AMBROISE. Y a une van de bois qui va passer !

VICTOR. Non.

AMBROISE. Y va finir par passer quelqu'un !

VICTOR. Non.

AMBROISE. On va être secourus !

VICTOR. Personne va nous secourir.

AMBROISE. J'ai peur comme j'ai jamais eu peur.

Victor le prend dans ses bras.

VICTOR. Calme-toi !

AMBROISE. Qu'est-ce que je fais dans tes bras ?

CARL. Trois heures que je devrais être marié.

VICTOR. Reste là !

CARL. Là-bas, y a une fiancée qui pense que je me suis sauvé.

AMBROISE. J'ai envie de bouger.

VICTOR. Reste !

CARL. Deux mille piastres de robe en larmes, vingt pieds de traîne de honte.

VICTOR. Je voulais te remercier d'avoir compris tout ce que j'ai voulu faire ?

AMBROISE. Quoi ?

VICTOR. T'as même décidé Carl à venir avec nous autres. À chaque fois que je suis revenu icitte, à chaque fois que je prenais la courbe, je la prenais de plus en plus vite. Y a ben des fois que j'aurais pu capoter mais j'attendais le jour.

AMBROISE, *terrifié.* Victor, j'ai plus envie d'être dans tes bras.

Victor libère Ambroise.

VICTOR. Je me pratiquais.

AMBROISE. Je ne veux plus t'entendre !

CARL, *catastrophé à son tour.* C'est quoi qu'y est en train de nous raconter ?

VICTOR. J'ai fait un geste à sa mesure.

AMBROISE. Tu devrais pas dire ça !

VICTOR. Dans le truck, je voyais les arbres défiler, un corridor sans fin.

CARL. C'est quoi qu'y nous raconte ?!

VICTOR. Plus on roulait, plus je délestais les souvenirs; mes amis, mes femmes, mes enfants. J'avais hâte d'arriver à' courbe. Je savais que j'allais aller jusqu'au bout. Pis là, la perdrix a traversé le chemin.

« Si j'étais oiseau, je serais perdrix,
dans l'ombre, silencieuse en sous-bois...
Si j'étais oiseau, je serais celui que lâchement on abat
dans l'ombre, en sous-bois...
Si j'étais oiseau... »

Le signe qu'y me fallait pour aller au bout. Là, Ambroise, tu m'as regardé pis tu m'as souri.

AMBROISE. Ça voulait rien dire.

VICTOR. Tu m'as donné le courage de le faire.

AMBROISE. Ça voulait rien dire !

VICTOR. On est en paix avec lui.

AMBROISE. Ça voulait rien dire !

VICTOR. Vous auriez jamais pensé que votre grand insignifiant de frère allait faire le geste qu'y fallait faire ?

CARL. Ciboire de malade, t'as ruiné mon mariage ! Là, tu vas me regarder pis tu vas t'excuser comme tu t'es jamais excusé !!!

Carl prend Victor à la gorge.

VICTOR. Tu me fais mal !

CARL. Excuse-toi !

VICTOR. Tu me fais mal !

CARL. La violence a juste un propriétaire ? *(Victor se libère.)* T'as ruiné mes noces.

VICTOR. Ce matin-là, tu t'étais levé avec tes yeux de p'tit tannant. T'avais commencé ta journée en bavant tout le monde.

CARL. Des heures en ligne droite. Revenir à la même place. Tourner en rond sur un chemin tout droit.

VICTOR. Des tonneaux ?

CARL. Dans la courbe. Juste là. Un déjà-vu. Revenir sur mes pas.

VICTOR. Six, huit ? Pas plus.

CARL. Tout le temps la grande route.

VICTOR. Deux, trois secondes.

CARL. Tout le temps tout droit.

VICTOR. Une éternité. J'étais là, juste là.

CARL. Tout droit.

VICTOR. Seize ans. Jeans trempés.

CARL. Pas de sentiers.

VICTOR. Les cannes à pêche.

CARL. Nous sauver.

VICTOR, *à Ambroise.* Chemises de toile...

CARL. Sauver du froid, de la noirceur.

AMBROISE. La bière chaude.

CARL. Sauver du silence.

AMBROISE. Juste là.

CARL. Marcher ma vie.

AMBROISE. Le suivre.

CARL. Nous sauver.

AMBROISE. Dans la courbe, un signe. J'aurais dû le suivre.

Temps.

AMBROISE/VICTOR/CARL. C'est là, dans la courbe...

AMBROISE. Changer un mot...

AMBROISE/VICTOR/CARL. C'est là que j'ai senti un déjà-vu.

AMBROISE. Le temps du verbe...

CARL/VICTOR. Tout le temps tout droit.

AMBROISE. Le sens même de la vie.

CARL. Tout le temps la grande route.

CARL/VICTOR/AMBROISE. Tout le temps tout droit.

AMBROISE. Une litanie sans fin.

VICTOR. Dans la courbe, c'est là j'ai vu...

AMBROISE. Y faut parler d'autre chose ! D'autre chose !

CARL. La plus belle fiancée du monde pleure.

VICTOR. Pis Montréal, toujours pas d'acheteur pour ton condo ?

AMBROISE. Autre chose !

CARL ET VICTOR. T'es ben smatte d'être venu aux noces !

CARL. Tous les préparatifs !

VICTOR. Voyages-tu encore pas mal ?

AMBROISE. Autre chose !

CARL ET VICTOR. Les films dans les avions...

AMBROISE. Victor, c'est quoi, ça ?

VICTOR. Ce qui est gratis, faut le prendre !

AMBROISE. Carl, c'est quoi, ça ?

VICTOR. J'arrêtais pas de dire : « Quand est-ce qu'on y va ? »

AMBROISE. J'ai midi vingt !

CARL. Sept heures et demie.

VICTOR. Cinq heures et quart.

AMBROISE, *hurlant.* CARL ?

VICTOR. Dans le fossé le visage à moitié dans l'eau, l'autre moitié arrachée.

CARL. Mort ?

VICTOR. À sept heures et demie.

AMBROISE. Victor ?

VICTOR. Coincé dans la fenêtre du camion.

CARL. Mort ?

VICTOR. À cinq heures et quart.

AMBROISE. Ambroise ?

VICTOR. Sur le siège du camion.

AMBROISE. Mort à midi vingt.

CARL. NON !

AMBROISE. Dire ! Tout dire ! Faut que j'appelle Martin.

CARL. On avait fait comme la tradition.

VICTOR. Quatre plongeurs pis ben de l'équipement.

CARL. Je l'aime, Lucie.

VICTOR. C'est dans la courbe que je l'ai vu...

CARL/VICTOR. Les p'tits gars.

CARL/VICTOR/AMBROISE, Dire ! Tout dire !

AMBROISE. Je revois tout. Le premier sac d'école.

VICTOR. Le premier char.

AMBROISE. Les premières soûleries.

VICTOR. La naissance du premier.

CARL. Le choix des alliances.

AMBROISE. Les premiers feux de camp, les french kiss.

CARL. Les premiers flirts.

AMBROISE. Dire, tout dire.

VICTOR. Les maladies du deuxième.

CARL. Les robes de Lucie.

AMBROISE. Les cartes de crédit, les vernissages.

AMBROISE/CARL/VICTOR. Dire, tout dire !

AMBROISE. La sonnerie de téléphone.

VICTOR. Les papiers du divorce.

CARL. La table de noces.

AMBROISE. La lettre à écrire.

AMBROISE/CARL/VICTOR. Dire, tout dire !

AMBROISE. Les taux de change, la plante à rempoter.

CARL. Je peux te dire tout ce que j'ai vu en chemin.

AMBROISE. Oui, dis-moi c'que t'as vu en chemin ?

CARL. Des arbres, des arbres pis encore des arbres.

AMBROISE. Invente autre chose.

CARL. Des arbres, d'autres arbres pis encore des arbres.

AMBROISE. Invente !

VICTOR. Y est cinq heures et quart !

AMBROISE. Non, y est midi vingt.

CARL. Midi vingt, c'est l'heure de l'accident.

AMBROISE. Je le sais ! Parle, arrête pas de parler.

CARL. Y va finir par passer quecqu'un.

AMBROISE. Faut qu'on dise autre chose. Autre chose !

CARL. Y va passer un char.

AMBROISE. Victor, parle. Parle.

VICTOR. Des heures que je marche. Des heures que je marche en ligne droite.

CARL/VICTOR/AMBROISE. Comment j'ai fait pour revenir à la même place? On a fait combien de tonneaux? Comment ce qu'on peut tourner en rond en marchant tout droit sur un chemin tout droit? Six, huit? On a roulé, on a roulé. C'est comme si j'avais tourné en rond. Deux, trois secondes... Comment j'ai fait pour revenir à la même place? On a fait combien de tonneaux? Comment ce qu'on peut tourner en rond en marchant tout droit sur un chemin tout droit? Six, huit? On a roulé, on a roulé.

Silence.

AMBROISE. Y a un camion qui vient! Entendez-vous?

On entend un camion venir.

VICTOR. Oui, je l'entends.

CARL. Je l'entends aussi.

AMBROISE. Taisez-vous!

VICTOR. Y se rapproche.

CARL. Je l'entends!

VICTOR. On va le voir là.

CARL. Y s'en vient.

VICTOR. Y arrive.

CARL. Le v'là!

AMBROISE. Il est là.

VICTOR. Le v'là!

Temps.

AMBROISE, *paralysé.* C'est notre camion!

CARL. C'est nous autres dans le truck !

VICTOR. Oui, c'est nous autres !

AMBROISE/CARL/VICTOR. La courbe !

Sons d'un camion qui dérape violemment.

Février 1998

À PROPOS DE L'AUTEUR

Michel Marc Bouchard est né en 1958 au Lac Saint-Jean. Pendant ses études en tourisme au Cegep de Matane, il écrit et monte ses premiers textes. Après l'obtention de son baccalauréat en théâtre à l'Université d'Ottawa en 1980, il œuvre dans les différents théâtres francophones de l'Ontario en tant qu'auteur et comédien.

C'est en 1983 qu'il fait son entrée sur la scène montréalaise au Théâtre d'Aujourd'hui avec *La Contre-nature de Chrysippe Tanguay, écologiste* dans une mise en scène d'André Brassard. En 1987, le succès de sa pièce *Les Feluettes ou la Répétition d'un drame romantique* dans une autre mise en scène de Brassard, produite par le Théâtre Ptit à Ptit et le Centre National des Arts, lui donne accès à d'autres scènes tant canadiennes qu'internationales.

Depuis 1988, sa pièce *Les Muses orphelines* a été produite dans plusieurs pays, entre autres, au Canada Anglais, en Uruguay, au Mexique, en Allemagne, en France, en Italie et en Belgique. Le metteur en scène René-Richard Cyr en signe une remarquable mouture au Théâtre d'Aujourd'hui en 1994. En 1991, la production des Deux Mondes et du Centre National des Arts de *L'Histoire de l'oie*, créée dans le cadre des Rencontres Internationales de Théâtre Jeune Public à Lyon dans une une mise de Daniel Meilleur remporte un si grand succès que plus de trois cents représentations sur quatre continents ont été données depuis. Les Francophonies de Limoges, le LIFT de Londres, Le May fest de Glasgow, le Grand Ciudad de

Mexico, le Theatre der welt de Munich, le Hong Kong Arts Festival et le Brooklyn Academy of Music de New York ont, entre autres, acceuilli cette production. D'autres productions belges, autrichiennes et allemandes sillonnent maintenant le continent européen.

Michel Marc Bouchard a également écrit plusieurs comédies à succès dont *Les Grandes Chaleurs*, *Le Désir*, et *Pierre et Marie... et le démon*. En 1998, il a conçu une importante exposition sur l'histoire de la ville de Québec intitulé : *Ludovica* pour le Musée de l'Amérique française de Québec.

Il a obtenu de nombreux prix dont celui du Centre National des Arts, ceux des associations des critiques de théâtre de l'Outaouais, du Québec et du Mexique, le prix d'excellence littéraire du Journal de Montréal à deux reprises, le Dora Mavor Moore, le Floyd S.Chalmers. Il a été plusieurs fois finaliste au Prix du Gouverneur Général et à la Soirée des Masques.

Le film *Lilies* réalisé par Jhon Greyson en 1995 et que M.M. Bouchard a scénarisé à partir de sa pièce *Les Feluettes...* s'est mérité trois Génie dont celui du meilleur long métrage canadien, le Prix Téléfim Canada, la Salamandre d'Or à Blois (France), le prix du public au Festival de San Francisco, le prix du jury au OutFest de Los Angeles et le prix du meilleur film au Festival Reel Affirmation de Washington (USA).

Le Chemin des passes-dangereuses a également été créée en France par Théâtre en Scène (Roubaix) et la Scène Nationale de l'Hippodrome (Douai) lors du Festival des Météores en mars 1998 dans une mise en scène de Vincent Goethals.

ACHEVÉ D'IMPRIMER
EN OCTOBRE 2010
SUR LES PRESSES
DES IMPRIMERIES TRANSCONTINENTAL
POUR LE COMPTE DE
LEMÉAC ÉDITEUR, MONTRÉAL

DÉPÔT LÉGAL
1re ÉDITION : 2e TRIMESTRE 1998
(ÉD. 01 / IMP. 07)